Vormgeving, layout & illustraties: Frank Petiet
www.saharablond.com

WAARSCHUWING: Sommige van deze gedichten staan bol van de
pretenties! Zoals het een jonge dichter in zijn twintigerjaren betaamt.
Achteraf gezien kan de dichter er zelf gelukkig wel om lachen.
Wij hopen dat u dat ook kunt opbrengen.

GROEN

GRIJS

GROEN

GROEN

WIT

ROOD

WIT

ART

WIT

ZWART

ZWART

GRIJS

GROE

GROEN

ROOD

K

ZWART

WI

ZWART

ZWAK

ABSINTHIA TAETRA

Green changed to white, emerald to an opal: nothing was changed. The man let the water trickle gently into his glass, and as the green clouded, a mist fell from his mind...

Then he drank opaline.

Memories and terrors beset him. The past tore after him like a panther and through the blackness of the present he saw the luminous tiger eyes of the things to be...

But he drank opaline.

And that obscure night of the soul, and the valley of humiliation, through which he stumbled were forgotten. He saw blue vistas of undiscovered countries, high prospects and a quiet, caressing sea.
The past shed its perfume over him, to-day held his hand as it were a little child, and to-morrow shone like a white star: nothing was changed...

He drank opaline.

The man had known the obscure night of the soul, and lay even now in the valley of humiliation; and the tiger menace of the things to be was red in the skies. But for a little while he had forgotten.

Green changed to white, emerald to an opal: nothing was changed.

Door Ernest Dowson uit *Decorations*, (1899)

Inhoud

Qualia (enkelvoud 'quale'): zijn kwalitatieve eigenschappen van de waarneming, zoals smaak en kleur. In het debat van de filosofie van de geest spelen qualia een belangrijke rol.

Een **spectrum** (meervoud: *spectra* of *spectrums*) is een scala van opeenvolgende kleuren of geluiden of andere verscheidenheden.

Voorwoord

Door dr. Roggeveen,

In al die jaren dat ik werkzaam geweest ben in de psychiatrische inrichting waar de schrijver sinds 2004 resideert heb ik een goede band met hem opgebouwd. Dikwijls zat hij te dichten en prevelde hij woorden in mijn richting in constructies die ik zelden gehoord heb. Bij wijze van therapie heb ik hem gevraagd zijn woorden en zinnen op te schrijven.

Zie hier het eindresultaat. De patiënt in kwestie heeft een aanzienlijke verbetering ondergaan met het produceren van dit werk. Houdt u dus altijd in ogenschouw dat dit helingsproces het belangrijkste doel was om deze bundel uit te geven. De kwaliteit laat soms te wensen over, mede doordat de vertaling van de met kwijl en kots besmeurde paperassen soms lastig was.

Dit is naar onze mening de visie van de wereld door de bril van Jeroen Besseling, gerangschikt in kleuren die door hem gekoppeld werden aan gevoelens op een zeer subjectieve manier.

Wij denken dat dit werk zeer gewaardeerd zal kunnen worden als u als lezer probeert te voelen welke intenties de schrijver heeft gehad. Denk dus aan de kleuren grijs, groen, rood, wit en zwart in die volgorde. Haal nu rustig adem en sluit uw ogen en associeer er rustig op los. Wat voelt u bij deze kleuren?. Herhaal deze oefening bij elke leessessie van deze bundel ongeveer 3 minutenlang voordat u begint te lezen. Op deze manier geniet u dan optimaal van deze schrijfsels.

GRIJS

Ik weet nog hoe een grijze man
mij kwam wijzen op gebreken.
Al leken zij klein, hij draaide er een schuldgevoel aan.

"Vind je dat fijn, oude grijsaard?" zei ik
met een grimas, omdat hij klaagde over lucht.
Die bevuild werd door louter mijn gezucht.
In plaats van hem te vermanen staakte ik.

Met schrik in het hart en in gezicht
besefte ik dat ik bijna was gezwicht
voor zijn wensen en die van alle mensen
die zeggen dat iets niet mag, zoals deze man.

En wie is hij? De ouwe vent, saai als zijn sok.
Heel de dag opgesloten in zijn hondenhok.
Louter klagend over anderen. Nooit veranderen.
In stilte smachtend naar iets constructiefs.

Altijd maar zeiken en aanstellen tot het laatst.
Doen alsof je voor ouderdom zou moeten beven.
Elke vorm van kritiek of gedrag lijkt misplaatst.
Je zal toch maar zo'n grijs bestaan moeten leven.

De generaal en de zee

Het was een extreem nare, kille winterdag
vond de Generaal, die het slagveld overzag.
Kleine wolkjes verlieten telkens zijn mond
als hij bevelen naar zijn manschappen verzond.

Toen de artillerie gaten in het ruige grasland boorde
en hij niets anders dan ruwe dreungeluiden hoorde
zaten zijn gedachten, zoekend naar rust, aan de kust.
Op een golf met vloedgetij, daar vond hij de rust.

Het gekrijs van zijn luitenant, klonk als een meeuw.
Een fluitende kogel langs zijn wang, een koele bries.
Doch plots veert hij op, een luide knal en hoorngeschal
met schrik overziet hij terstond zijn fikse verliezen.

Zag er slecht uit, zijn paard met bebloede snuit.
Een soldaat lag kermend op de grond dood te gaan.
"Wat is dit nou voor kutbaan" morrelde de Generaal.
Tijd voor plan B. Hij had altijd een wit doek mee.

Kortstondig bestaan

Vliegtuigjes vol van papier,
zweven statig door de lucht.
Gedreven door de kleine kracht
van het vouwen en het plezier.

Ze passeert in haar statige vlucht
een bank en stoel om daarna
met een zucht de brui te geven.
Zo eindigt een kortstondig, luchtig leven.

Vliegtuigjes vol van papier
liggen verscheurd op de grond.
Verschoont van kortstondig leven.
De korte kick was dit alles waard.

Lieve moeder

Lieve Moeder ver hier vandaan,
hoe zou het jou nou vergaan.
Ik mis je wel, maar ook weer niet.
Zou niet willen dat je mij zo ziet.

Ik zweef op de golven van besef
in een reservaat vol vertrapten.
Moeilijke woorden voor het lef
van gevangenen die ontsnapten.

Maar lieve moeder, het is mij gelukt.
Ik heb mij uit dit bestaan losgerukt.
Vrij van de geestelijke geketendheid,
De conditie van mijn getekendheid.

Ik wil gaan vliegen moeder, eindelijk
neerstorten als regen op de grond.
Alles wordt doordrenkt met mijn zonden.
Laat mijn verlies een aanwinst zijn.

Psilocybine /
Het is rond

De sjamaan boog zich over de grote pot.
At nog wat paddenstoelen, het smaakte verrot.
Het zompige brouwsel smaakte na op zijn tong.
De stam ging toen dansen en de sjamaan zong.

Psilocybine veranderde zijn huid, 't raam werdt klein.
Een sluier van dof tromgeroffel verdoofde zijn zijn.
Monotoon geluid versoepelde zijn tocht naar beneden.
Naar monsters waar hij van wilde weten wat ze deden.

Op een zucht van stoom, zat zo'n wezen sloom
voor zich uit te kijken in het niets net als hij.
Wachtend op het moment van bezinning en zinnigheid.
Wanneer vind je wat je kwijt bent en hoeveel kost dat?

Vage gebaren en groengele gezichten in de breinmist
fluisterden in zijn hoofd wat hij onderbewust wist.
Zwemmend door het afval van zijn gedachtegang
met daar aan het einde het licht van de realiteit.

Na een zee van tijdloosheid zwom de sjamaan
terug naar zijn ogen die openden in het vuur.
Velen om hem neergebogen wachten op het licht
dat de sjamaan gezien had.

En hij sprak: **"het is rond"**

Langzaam Leven

Oh, langzaam land zo ver van hier
waar minuten dagen, jaren zijn.
Hier drink men bij de vaten bier
en moet alles met eigen hand gemaakt zijn.

Op deze plek, zo verlaten en stil,
waar vogels de machines vervangen.
Voel ik me verschoont van enige wil,
des te sterker word daardoor 't verlangen.

Ik zou hier niet willen sterven,
dat zou een te langzaam einde zijn.
Te midden van velden en brede erven,
in deze gemeenschap, o zo klein.

Deze rust zal nooit de mijne zijn
maar is het nu toch voor heel even.
Ergens is dit leven ook erg fijn
maar laat mij liever sneller leven.

Legende van 't gezonken schip

Het schip verging met man en muis.
Niemand van hen kwam ooit meer thuis.
Die woeste zeebonken Klaas, Piet en Corneel.
De stormen op zee werden hen teveel.

Toen ze vertrokken, door vrouwen uitgezwaaid,
was hun moed ver uitgezaaid. Het ruime sop
gaf de mannen onoverwinnelijkheid ten top.
De boeg was te zwak voor het natuurgeweld.

Ze waren nog maar halverwege hun reizen
toen kapitein Piet kwam met wat kleine eisen.
Klaas moest de vloer gaan schrobben en vegen,
Corneel kon voor hem de vuilbak legen.

Dit ging zo een tijdje door, eerbied liet
het plichtsbesef voor. Maar zelfs een matroos
word wel eens boos op zijn baas.
Zo deed Klaas zijn relaas, in de razende storm.

"Waarom ben ik niet goed genoeg voor taken
als navigeren, sturen en al dat soort zaken?"
Piet gaf hem zijn zin, stuurde hem de stuurhut in.
Corneel werd het toen teveel en werd boos.

Klaas koos de kant van de kapitein, een windhoos
gaf het sein der storm. Het schip was stuurloos.
Drie vechtende zeebonken om een enkel schamel been.
Zij kwamen niet heelhuids over die zandbanken heen.

Voor het asfalt

Bomen vervormen, smelten tot één.
Kuilen vervormen en pijnigen mijn been.
Strepen slepen zich stilstaand voort
zij worden door ons in't wegdek geboord.

Regen vergrijpt zich aan onze ruit
ze verdrinkt ons in oorverdovend geluid.
Insecten zoemend rond mijn hoofd,
als constante factor in dit geheel.

Het wordt wat veel, dingen irriteren.
Stoplichten, bomen. Ik wil proberen
te slapen of in ieder geval vluchten
van deze staat of dit land, de regen en gehuchten.

Het doel is de reden van de reis.
Het middel het wapen van de eis.
Ik zit genageld, keusloos in de stoel.
Reizen is leuk, als je begrijpt wat ik bedoel

S.

Ik stond daar stil, je keek me aan.
Een trilling ging door mijn lichaam
Je zag me hier toch wel staan?
Je blik vertroebelde van angst.

Een sprint en je was weg.
Ik zou je nooit meer zien.
Wat is er mis met mij?
Mijn hoofd misschien?

Ik zal nooit meer vergeten
hoe jij begon te zweten.
Toen je mij zag was ik verkocht.
Uit al die mensen ben jij uitgezocht.

Ik wilde niet dat je wegging
en er restte nog maar één ding.
Dat was de achtervolging
maar dat kan ik niet, nooit.

Hier sta ik stil, denkend aan jou.
Ik hou van jou, jij niet van mij.
Was ik maar vrij en geen pop.
Dan kwam ik los en zocht je op.

GROEN

Ik lig hier met mijn hoofd in de modder.

Het deert mij niets dat ik vies word
of dat er kleine beestjes rond mij leven.

Want ik hoor haar hartslag.

Ik voel het gebonk van mijn moeder.

Waarna zij mij roept om haar te nemen
zoals zij bedoeld is.

Geen make up gemaakt van e-nummers of aanpassingen.

Ze fluistert me toe dat ze van me houdt
en geeft mij een modderige zoen.

Vertederd door haar warmte knuffelen wij elkaar
en fluister ik dat ik haar ook lief vind.

Dat ik haar appels eet met een bruin plekje.

Dat haar bomen eigenlijk echter zijn
als ze niet in polonaisehouding opgesteld staan.

Dat dieren best wel wild mogen zijn.

Dat mensen best wel dier mogen zijn.

Als de wolken regen baren

Als de wolken regen baren

en de zon zijn stralen straalt

zal het gevecht aanstaande zijn.

Die wordt beslecht met een kleurenpracht.

Laat dit de inspiratie zijn

voor elk goed gevoel.

Want ook al zijn de druppels klein

tezamen komen zij toch tot hun doel.

De ijzige vlakten

De ijzige vlakten, vertellen een verhaal
van sterfelijkheid en onsterfelijkheid.
Wat niet overleefd, wordt in ijs bezworen
Als leven daar gaat dan is 't nooit verloren.

Hier neem je genoegen met het kleine.
Omdat het grote niet voor de mens is.
De natuur wint elke slag en stoot,
ons rest niks anders dan te slaan en te stoten.

Zie de zon zacht aan de hemel staan,
wetend dat hij hier geen redding brengen zal.
Van de vroege ochtend, tot de late avond.
Zelfs de tijd wordt door het licht gebroken.

De weerkaatsing van alle zorgen in het ijs.
Bewaard in ijzige vlakten, de mens komt niet ver.
Niet verder dan het vertellen van verhalen
Die door de sneeuw geheimzinnig zullen blijven.

Voor hen die de kou durven te trotseren
is geen andere prijs, dan dat zij zullen zien
hoe de vege opkomst van de mensheid
gestuit kan worden. Door de ijzige vlakten.

Dood aan de redelijkheid

Ooit bestond er een tijd

dat mensen nog bestonden.

Dat dingen nog dingen waren.

Een doel een doel was.

Toen scheen de zon nog zonder reden.

Werden de mensen ziek door zwart gal.

Dat maakte het besef van de wereld

veel echter dan nu, waar wij het verpakken

in woorden en zinnen om zin te geven.

Wij bestaan louter uit cellen en vellen,

zintuigen, drift. Slechts zielloze materie.

Oh, hoe verlang ik terug naar die tijd.

Naar de vanzelfsprekendheid van het doel.

Het ultieme heersende van het gevoel.

Dood. aan de redelijkheid!

Dreaming about paradise

My feet touch the sturdy stone
that's biting into my acking' feet.
Wanting to take me and my meat.
I hear the dolphins cry a high tone.

I lay down in the sun in this place
that reminds me of my dreams.
I try to reach and touch the face,
that in reality once belonged to me.

I drive down the curving lanes
with a velocity my head can't follow.
A shiver it spreads along my vains
but in the end it frees me of sorrow.

When I used to dream about paradise
I would see a blurry vision of green.
Were no problems could ever arise
and no injustice could be seen.

Now I see the sea of blue
and think it wasn't all true
to see the blurry visions of the green.
Truth is in no colour to be seen.

Geassimileerd

De man ligt in het gras, zijn gras
is het centrum van zijn heelal.
Hij ligt te denken aan hoe het was
en wat de zon hem brengen zal.

Ooit stond hij in de maatschappij
en vond alles wat de rest ook vond.
Daarbij dacht hij "ik voel me vrij"
en hield dan verder braafjes zijn mond.

De natuur neemt hem op en assimileert
de staat van realiteit waarin hij verkeerd.
Waarom is de grens zo vast en stijf?
Waarom dragen wij kleren aan ons lijf?

Een boom ademt in zijn gezicht.
Het gras glinstert in het avondlicht.
De douw begon likkend aan zijn benen,
toen was de man opeens verdwenen.

Het tijden van de dagen

Soms, als ik buiten zit, en al die blaad 'ren zie,
dan denk ik wel eens, zacht gniffelend,
dat het niet zinvol is dat alles te vergaren.
Dat het nutteloos is, om het te organiseren.

Die vochtige, blaaderpracht mooi verstrooid
over het gifgroene gras, de grond oplichtend
in 't ochtendlicht. Dan is toch het hele woeden
van de wereld meteen binnen handbereik.

Waarom dan toch dat harken tot het doven
van het avondlicht? Als men toch wel weet
dat de tijden met het verstrijken van de dagen
geen structuren en regels van ons nodig hebben?

Ode aan een spin

Oh harige arachnide, jij machtige spin.
Als jij de angst der mensen bent
waarom zit jij hier dan toch in?
Deze plek die jij helemaal niet kent.

Wanneer ben jij de weg verloren.
Hoe komt 't dat jij hier bivakkeert?
Waar jij nooit thuis zult gaan horen
omdat de wet van mensen regeert.

Het beest kijkt mij onwetend aan
met al zijn ogen op een rij,
Hij ziet mij in mijn kamer staan
en denkt, "Ik hoor er niet meer bij"

Ik schenk hem een geopend raam.
Vrijheid buiten op de vensterbank.
Daarbij geef ik ook de steen en stank.
Vernietiging in homo sapiens' naam.

Want was wat hij en ik bezit
ooit niet gedeelt door ons allebei?
Voordat de mens was ingepit.
Deze wereld maakt niemand blij.

Verzengende hitte

Oh jij, verzengende hitte.
Wat jij aanraakt verschroeit in pijn.
Dat wat jij vermijdt leeft in angst.
Het water dat jij drinkt.
De energie die jij pikt.

Je bent een kracht van onmetelijkheid.
Zo ver en afgezwakt, nogwel.
Jij bent de oorsprong van leven
en tegelijkertijd de beul.

Oh jij, verzengende hitte.
Wat jij raakt, wat door jou beweegt.
Jij speelt met ons, wij ondergaan.
Jij zweet ons, jij geeft ons.
Wij knielen voor jou.

Nimmer zal jij buigen
Maar ooit zul jij vergaan.
Dat wat wij niet kunnen bevatten
is dat jij voor ons uit zal gaan.

ROOD

Soms zit ik op een rots
in't laatste avondlicht.
Wat een mooi gezicht,
als de lucht rood wordt
verwonder ik mij weer
over haar aparte gelaat.

Dit is het enige moment
waarop ik haar zien kan.
Dan word ik warm van
haar gloed die weliswaar
afzwakt maar daar neem
ik mijn genoegen mee.

Nooit zal zij mij hier
onverwachts in de steek laten
en stoppen met schijnen.

Zelfs niet als de maan
het beste van haar wegpikt.

Ze komt snel weer terug.

Alleen voor jou

Jouw lach is de zon in de woestijn.
Een glinstering in het mulle zand.
Alles aan jou had zo moeten zijn.
Je tanden, de vormen van je hand.

Als jij naar me kijkt met jouw ogen.
Is het alsof ik niet meer kan bestaan.
Het stuurt mij naar een onbewogen
staat waar ik niet weg kan gaan.

Jouw mooie borsten zijn als bergen,
glooiend op jouw verfijnde lichaam.
Oh, waarom moet jij mij nou zo tergen,
als jij niet bij me bent roep ik jouw naam.

Ik beklim jouw mooie golvende haren
en kom aan bij jouw getuite mond.
Een getongde zoen zal jouw liefde baren
en genezing zijn voor mijn diepe wond.

Waarom ben jij zo vreselijk schoon.
Geen gevlekte smet op jouw ziel.
Jij bent niet menselijk maar ongewoon.
Dat is de reden waarom ik voor je viel.

Bemist en beslagen

De ruit is beslagen, volkomen bemist.
Ik probeer al 3 dagen naar buiten te kijken
en denk aan jou, soms bij vlagen aan het einde.
Aan hoe het was en hoe het zou moeten zijn.

Ik voel het koude glas en teken jouw gezicht.
Al snel vult de allesomvattende mist de sporen
die mijn vingers hebben gemaakt. Je gezicht
raakt verloren in de onscherpte van het raam.

Ik kijk naar buiten maar ik zie niets, maar denk alles.
Het bestaan hokt zich samen met de fantasie.
Waar ben jij nu? En met wie? Waarom niet met mij?
Alle vragen grijpen in elkaar op een centraal punt.

Ik ben leeg, ik schiet vol. Mijn bestaan is opgeheven.
Mijn leven ga ik hier slijten op deze stoel bij dit raam.
Mijn gevoel zal ik kwijten, roepend naar jouw naam.
Deze mist zal verhullen waar jij bent gebleven.

Door een oog van wolken

De maan schijnt mij toe

door een oog van wolken.

In de fletse weerspiegeling van

het licht, zie ik haar staan,

of liggen. Zweven dan?

De wolken zoenen haar kraters

die zich nestelen in haar schaduw

met ragfijn wolkenstof.

Terwijl de maneschijn terug kietelt.

Zouden zij weten, zoals ik weet,

dat dit een onbereikbare liefde is?

Hemel reikend

Ik droom over haar, en ben zo blij
dat ik haar ook in het nu kan spreken.
Ik voel me bij haar zo goed en vrij,
dat is in die korte tijd wel gebleken.

We gaan naar vreemde plaatsen
maar ze lijken mij wel bekend.
Ik kan me zo in haar verplaatsen.
Het is of ik haar altijd heb gekend.

Ze lacht naar me, ik smelt weg.
Die twinkeling in haar mooie ogen.
Zouden ze ooit hebben gelogen?
Ze is een verhaal zonder uitleg.

Ik pak haar hand en we staan op.
Ik voel haar energie overal gaan.
Ze wrijft me even over mijn kop
en blijft stilletjes voor me staan.

Rug liggend in het bos, sterren kijkend.
Komen we van de aarde los, hemelrijkend.
Ligt daar ons bondgenootschap? Of meer?
Die vraag bepaalt mijn droom keer op keer.

De hinde

Toen ik gisteren weer jouw haren rook
en mijn lichaam vervuld voelde van jou.
Besefte ik pas hoe graag ik zou willen
dat jij ook van mij vervuld zou zijn.

Want wat ik voor jou voel is blijkbaar
niet normaal, niet gezond? Ongangbaar.
Ofzo, als ik jouw zachte vingers voel
en die tinteling dan door me heengaat.

Bestaat er een statiger wezen dan jij?
Zoals je over velden swingt als een hinde.
Ogenschijnlijk vrij, maar gebonden door
die onzichtbare kracht, de sterke macht.

Voor de angst om te voelen, te beleven.
Zodat je zintuigen gesmoord worden
in de middelmaat van het bestaan.
Hoe ver zul je gaan? Wil je geen hinde zijn?

Toch word het verwacht

Als hij zijn gevoelens voor haar had moeten opschrijven
dan zou het blad in zijn geheel leeg blijven.
Niet dat hij geen gevoelens had, of heeft.

Hij zag er gewoon het nut niet van in, wat is de zin
van woorden als het leven alles al achterhaald heeft?
Hoeveel woorden en emoties moeten gebruikt worden
om het levenloze te vereren, hoeveel veren?

Hij kon toch niet zijn alles allemaal weggeven aan haar?
Zij die er niet meer is. Natuurlijk word zij gemist
maar gemis is niet meer dan een leeg blad, niet minder.
Hindert niet, doet veel verdriet. wetend dat de tijd heelt.

De schade is berokkend door hemzelf, niet door haar.
Door aan haar te denken, haar aandacht te schenken
graaft hij kuilen in zijn ziel, dat weet hij ook wel.
Daarom, alleen daarom blijft het blad leeg.

Waarom denkt iedereen dat hij zijn vrouw niet beminde.
Omdat hij overdag lacht, en 's nachts naar de lege plek
op het kussen naast hem kijkt, is zijn hoofd niet leeg.
Zijn ogen schieten vol. Dat is alles, is er meer nodig?

Zo had zijn liefde het niet gewild, zo wil niemand het.

Toch word het verwacht.

Op een warme zomerdag

Ik weet nog goed op die warme zomerdag
hoe het riet golfde in de wind op het moment
dat ik me zachtjes in het water liet glijden.
Ik weet nog goed hoe mijn lippen trilden.

Ze trilden niet vanwege de kou van het water.
Het kwam alleen maar door jouw bruine ogen
en het feit dat ik wist dat jij vrij en onbewogen
baantjes trok. Zonder kleren en notie van mij.

Hoe mooi scheen het licht op jouw natte huid.
Hoe fel was de schittering in jouw ogen
en de schuttering van je lichaam toen je mij
ontwaarde in de glinstering van het licht.

Het moment dat ik jou toen in mijn armen sloot
duurt nog steeds voort, sindsdien ben ik doorboort
met mijn liefde voor jou, mijn liefste liefde.
Van jou hou ik nog meer dan van het water.

Rivieren van tranen

Je hebt al rivieren vol gehuild
terwijl met jouw woorden
nog geen kaartje kan worden gevuld.
Wat denk je hiermee te bereiken?

Je praat over emoties en gevoelens.
Die ik ook echt wel heb over ons.
Maar die uit ik niet in tranen
want zo sla je geen brug naar elkaar.

Jouw rivier maakt de afstand groter
en verkleint mijn hoofd, hij bonkt.
Waarom gaat dit toch altijd zo
denk ik, en dat zeg ik dan ook.

Huilend zeg jij dan: "jij begrijpt mij niet".
Dat is het bandje wat je afspeelt.
Ik wil je heel graag begrijpen
net zoals ik wil dat jij mij begrijpt.

Maar als ik dan jouw tranen
van je wangen afveeg
en ik ze op mijn lippen leg.
Laat ik die zoute smaak door mij heen gaan.

Wat weet ik dan over jouw gevoelens?
Jij begrijpt mijn woorden niet, net als ik
jouw tranen niet snap, op dit moment.
Ik wil het alleen maar goedmaken.

Spring met me mee

Geef mij je hand en je vertrouwen
en spring met me mee van deze berg.
Er zal je niks gebeuren als je maar wilt.
Onze liefde zal ons wel beschermen.

Laten we gaan, ver weg van onszelf.
Al onze verwachtingen en angsten vergaan.
Zodat alleen die pure liefde overblijft
die ons verbind in zijn zuivere licht.

Waarom twijfelen aan onze liefde?
Waar komt die terughoudendheid vandaan.
Als een hond aan een te korte lijn.
Smachtend naar een teken van bestaan.

Geef mij maar je hand en vertrouwen.
Er gebeurd echt niets dan goeds.
Laten we blind springen van deze berg.
Onze liefde zal ons wel beschermen.

Wanneer het nachtdoek valt

Wanneer het nachtdoek valt
Zul jij je rode manen laten schijnen
die mijn donderende oceaanwater weglikken.

Zou jij de zondvloed doen verdwijnen
als je mocht schijnen in plaats van de zon?

Ik moet jou al mijn blaadjes geven!
Wat als je eens niet zo gretig was?
Daglicht verkleurd de aarde rondom mijn wortels.
Zij schijnt haar wijsheid door me heen.

Het laat nieuw zuurstof voor mij zijn,
zodat wanneer het nachtdoek dan weer valt
jij zuchtend aan mijn wonden kunt likken.
Ik die jou alles weer vergeef, wat ik heb gekregen.

Natuurlijk zal jij nooit genoeg hebben
net zoals ik niet genoeg van jou kan krijgen.

Ik luister naar die tonen
van landen ver van hier.
Waar andere mensen wonen
met andere gezichten.

Bij het horen van zoiets
onverstaanbaars en mysterieus.
Ontwrichten onherkenbare lettergrepen
de realiteit van mijn bestaan.

Op het ritme van die rare tonen
voel ik de onzichtbare kracht.
De emoties die ik verwacht
bij mensen die heel ver wonen

Wat zij zeggen is in sluiers gehuld
en word met zangpartijen gevuld.
Totdat het dat ene punt bereikt
waarin wij allemaal geraakt worden

Verder dan de maan

Verder dan de maan.
Dieper dan de zee.
Interessanter dan DNA.
Mysterieuzer dan de mist.

Mooier dan de zonsondergang,
Met een melange van regen
En de frisheid van het begin.
Beter dan het einde.

Gaver dan het ongebrokene,
Liever dan het ongeborene.
Met de gedachte aan het goede
En de ziel van onwetendheid.

Lekkerder dan het geheugen van de smaakpapil.
Kleuriger dan het spectrum.
Imposanter dan de centimeter.
Het besef te leven. is. onbesefbaar

Tijdloze oneindigheid

Als ik even stil zou staan om om me heen te kijken
en een glimp opving van het heelal, zou ik
wel gek zijn om door te gaan na het zien van al
die goudgele sterren, fonkelend in het licht van elkaar.

Honderden jarenlang gevangen in deze pracht verzacht
door de bewegingen van licht, kometen, planeten.
Ik eet nogmaals een hap stof en daarna ga ik verder.
Met de snelheid van het licht in mijn voeten.

Ik krijg het koud, warm maar voel geen emoties.
Dan bedenk ik wat leeft op die planeet en sterft
gemaakt of gebroken wordt terwijl ik weet maar niet
kijk.
In het gezicht van de hoge heren die hun toorn verheffen
en soms clementie verlenen aan onwetenden in deze
wereld.

Ik verander in rood, blauw, groen en onbenoemde kleuren.
Ik zou willen stoppen, maar de natuur dwingt me voort.
Mijn koetsier! Ik ben het paard die oneindig wordt
geslagen.

Om uiteindelijk in een slipstroom van emoties de kosmos
te snijden en uiteen te vallen op een harde werkelijkheid.

Om even mijn licht te schijnen
waarna ik samensmelt in de kroes des levens..

Op een plek, in een tijd, ver weg van oneindigheid.

Potentie

Ik heb hier een blaadje, leeg is het blad.

Ik heb hier een pen die is zo vol als wat.

Ik heb hier een hoofd met hersens en een idee.

Ik heb ook nog een computer daar type ik mee.

Ik heb soms ook nog wat geld en wat tijd.

Ik heb zelfs nog de mogelijkheid om te kopiëren.

Ik heb vaak inspiratie, ik heb ook wel vakantie.

Ik heb gewoon talent, ik ben een genie!

Ik heb de durf originele wendingen te proberen.. ?

Ik heb alleen geen vertrouwen en geen zin.

Ik heb niks dan potentie meer zit er niet in.

Komt dit aan?

Wat zijn woorden zonder mij?
Wat zijn woorden?
Welke woorden worden zinnen en waarom
heeft het een andere betekenis als jij het zegt.

Hoeveel gevoel zit er in letters?
Wanneer komt iets wel of niet aan?
Is het belangrijker wie het zegt?
Is het waardevoller als jij iets zegt?

Zijn woorden wel echt?
Zijn woorden vast te pakken?
Als ik dit uitprint en ik pak het blaadje
wat heb ik dan vast?

Als jij het blad pakt, is het dan hetzelfde?
Veranderen woorden zoals mensen?
Want dan zouden woorden kunnen leven
zoals taal leeft. Als de taal leeft.

Waarom zou ik jou kunnen begrijpen?
Als je vecht met jouw zinnen
en ik met die van mezelf.
Het zwaard en schild van je eigen idee.

Hoe kan je in godsnaam geloven dat je
iets met praten op kunt lossen?
Dat is hetzelfde als ik zou zeggen:
Heel je wonden maar met lucht.

De schaal van 'ik'

'Ik' steen, 'ik' water, 'ik' doe, 'ik' denk.
'Ik' staat voor alles waar ik voor sta.
Maar hoelang nog heb ik te gaan.
Is het allemaal voor niets daarna?

Als ik nooit had bestaan
zou de wereld dan verloren gaan?
Of misschien gered zijn.
Hoeveel gewicht leg ik in de schaal.

In de schaal van 'ik'?.

Hoeveel wegen wij allemaal.
Kan het een kilo minder zijn?
Zoals een druppel water één is.
Zo zijn mensen niet zichzelf.

'Ik' gras, 'ik' gas, 'ik' boom, 'ik' voel.
Ik bedoel maar te zeggen waarom
Moet iets een of ander doel hebben?
Probeer gewoon om deel te zijn van een geheel

Een ander hoekje

Ik heb een hoekje van mezelf gevonden,
die anders is dan alle andere hoekjes van iedereen!
Dit is uniek, en ik vond het nog wel
Tussen het schroot naast een zenuwstel

En toen ik me ver weg snelde,
keek ik daar aangekomen
naar wat ik had meegenomen.
Het was een glimmend hoekje

Het zag eruit alsof het zeggen wou:
Kijk mij nou! Ik ben speciaal,
dus ik maakte het open, BAM!
Een lichtflits van zuur, zout en zoet.

Al mijn zintuigen gierden van intensiteit.
Een idee werd geboren, en nog één!
Als een baarmoeder ontpopte mijn schors
zich via mijn merg en bloed. Alles verlicht.

Zoals de gloeilamp in een stripidee,
zo verheven zat ik daar te stralen.
Ik straalde toen op anderen die ook
Licht begonnen te geven.. stop. NEE!

Ik raakte in paniek en verstomde snel.
Wat dachten die ideeëloze stakkers wel?
Het was al te laat, in de verte hoorde
ik overal de echo van mijn originele idee.

Je ziel is er altijd

Hoe kom ik toch bij het diepste van mijn ziel.
Raakt ik het zuivere gevoel dat niets meer of minder is
dan een abstract gegeven zonder woorden.
Waarom woorden? Waarom kan dit gevoel niet gewoon
Simpelweg ervaren worden als gevoel.
Nee, het moet worden opgeslagen, moet geregistreerd
als een teken van kwetsbaarheid, van voorbij gaand ego.

Als een vlinder die zijn cocon bij zich bewaard.
Waarom is dit toch zo verdomde belangrijk.
We kunnen ons niet schikken in het feit dat
emoties, gevoelens komen en gaan. Dat het niet lucht.
Dat het schrijven niet de heil is die word bedacht.
De pen stopt pas als het hart leeg is, of vult het hart de pen?

Zijn dit slechts illusies? Gedachten flarden op zichzelf.
Hoe mooi is het om on gestileerd te denken in non- vorm.
Als ik dit zo schrijf, denk ik dat ik niet dichter bij
mezelf en het begin van alle emoties kan komen.

Maar misschien wel, als ik dit terug lees.
Misschien ook wel als jij het terugleest. Wat schrijf ik?
Hoe leeg of vol zijn woorden zonder emoties?
Hoe kom ik bij mijn ziel zonder woorden?
Waarom wil ik eigenlijk mijn ziel proberen te vangen?
Denken, voelen, schrijven zonder einde. Of niet?.
Vang mij dan! Hier ben ik, je ziel is er altijd.

Het besef van oneindigheid

(Begin met een steen.)

Begin met een steen, een bron van zuiver water,
beluister hun getuigenissen van een tijdloze wereld.
Voor zielloze levendigheid is er geen vroeger of later.
Alleen eeuwigheid, transformatie en verandering.

Een kind, word van jongs af aan beïnvloed en
aangeleerd.
Er wordt gezorgd dat hij het tijdloze denken afzweert.
Hij erft onze visie en wereldkijk, is dat niet zonde?
Dat zijn dag bestaat, uit uren, minuten en seconden.

De tijd is niet te vangen, ze rijdt niet als een trein
van station naar station, op één rechte lijn.
Elk station verder is niet zondermeer een vooruitgang,
zoals wij willen geloven. Het markeert slechts een punt.

In ons denkraam geen ruimte voor chaos, bewegelijkheid.
In onze perceptie van tijd geen plek voor
onordelijkheid.
Steen wordt zand, wordt duin, cirkel van oneindigheid.
Wij mensen leven onze tijd, eenmalig. tot je overlijdt.

Eindig met de wereld, de bomen, de mens.
Beschouw met deze kennis hoe alles cirkelt.
Besef dat de chaos onze vriend is, die wenst
dat iedereen zonder angst zijn ware gezicht kan bezien.

Identiteit

Ik heb wel eens gedacht dat ik iemand anders was.
Was dat maar zo maar zo is dat niet, waarom
ben ik niet zoals iedereen mij toch altijd ziet.
Of is mijn visie van anderen over mij niet juist?
Is het wel de moeite waard om te denken over
een identiteit die oneindig inslijt en overgaat in
een leerproces dat nimmer aantasting ondergaat.
Zijn denkbeelden wel werkelijk en belangrijk?

Is het niet gewoon zo dat mening en gedachtes
worden gesmeed in een schemerwereld.
Dat ze gedoemt zijn niets anders te blijven dan een
afdruk van de indrukken die de geest krijgt.

Berusting

De weg was groot, de stenen rood.
In zonnelicht zo mooi beschenen.
Die warme dag toen ik alles bezag
op een wijze die mij duidelijk voor ogen lag.

Het is al een tijdje geleden
dat die rode stenen mijn benen
deden bewegen naar afgelegen
plaatsen, waar steden zouden zijn.

Na al die jaren zijn de stenen
verdwenen en is de angst verschenen.
Dat ik misschien niet meer kom
waar ik wil, ik bibber en verstom.

Zal ik hier dan maar blijven
en mijn leven verder beschrijven?
Wie zegt dat ik ooit ergens aankom.
Zijn mijn doelen verdwenen?

Langzaam ga ik verder op een landweg.
Deze is van zand, kronkelt door het groen.
Waar ben ik nou toch beland?
Ik berust, en geniet van het gras dat mijn voeten kust.

Elke weg komt uiteindelijk ergens terecht.
Dat word dan mijn doel. Vertrouw mijn gevoel.

Flarden van een dagdroom

Een koude zucht strijkt over mijn gezicht.
Knipper met mijn ogen, word verblindt door licht,
Wat is er net gebeurd? Vlekken groen, geel.
De echte waarheid wordt mij even teveel.

Flarden komen weer boven, langzaam soms vlug.
Een vliegtuig, boot. Ik was de kapitein en piloot.
En toen? Wat ging ik doen, harder denk ik terug.
Mijn hersens kraken, ik denk mij zelf nog dood.

Versuft denk ik door, was er een boodschap?
Is dagdromen eigenlijk wel ergens voor van nut.
Staat die symboliek voor iets waar ik wijsheid uit tap?
Waarschijnlijk is het hersenafval, brein prut.

Al zou het niet zo zijn, de kans is klein.
Dan zou ik niet langer actief nadenken
aan hoe mijn leven zou moeten zijn.
Maar mijn dagdromen die aandacht schenken.

ZWART

Ja, ik geef het maar meteen toe.
Ik heb het allemaal gedaan.
Want ik ben een blanke man.
Een westerling. Mijn ding bestaat uit
o.a. het kleineren van de wereld.
Het in standhouden van alles
wat ongelijk en slecht is op deze aardkloot.

Stichtingen krijgen pas een gezicht
als ze tegen mij worden opgericht.
Zwarten schreeuwen, joden schieten.
Arabieren zijn niet te genieten.
Ik heb het allemaal weer gedaan.
Toch word ik geacht vooraan te staan.
Om de mensen die me haten te helpen.

Ik mag niemand verlaten en moet ze steunen.
Ik moet tegen discriminatie zijn.
Tegen oorlog, woede en pijn.
Terwijl miljarden mensen wensen
dat dit mijn eigen lot zal zijn.
Hallo?, ik sta zelf ook duizenden in het rood!
Wanneer krijg ik eens een acceptgiro
Van een rijke sjeik, islamiet of jood?

Attentie attentie!

Attentie attentie!, planeet Jeroen.
Hier breinbos, breinbos spreekt.
Non-conformistische gedachte gesignaleerd, 12 uur.
Overgaan tot actie?, over.

Hallo breinbos, hier planeet Jeroen, wat zeg je nou?
Ik heb nog wel zo mijn best gedaan
om al mijn denkpatronen in de gaten te houden.
Rapporteer precieze oorzaak van deze gedachte, over.

Roger planeet Jeroen, nou het zit zo;
die neger die net langsliep, misschien ging het onbewust
maar toen zijn er wel wat hersengolven gaan bewegen
en hield ik ze niet meer tegen, wat nu gedaan? Over.

Aha, breinbos. Ja planeet Jeroen hier.
Het oogcentrum bevestigd alle vermoedens.
Het heeft de golven gesignaleerd, het is verkeerd.
Is er wat aan te doen? Desnoods met brute kracht, over.

Nou Planeet Jeroen, hier breinbos weer.
Heb eskader soldaten gestuurd, ze hebben gevuurd.
Alle die vijandige hersengolven gedood.
Helaas, er zijn onschuldige slachtoffers gevallen, over.

Wat! Breinbos? Met planeet Jeroen.
Wat ben jij nou aan het doen? Ik merkte het meteen.
Mijn gedachtes over seks, geweld en drugs, waar zijn
die heen? Nou kan ik alleen nog aan god denken. Over.

De oornectar der goden

Een rokerige ruimte, met laag dak
belemmert mijn zicht en luistergemak.
De trilling van de lucht bereikt mijn voet.
Dit is wat echte muziek zijn moet.

Langharige satanisten wurgen een gitaar.
Een zanger brult met ontstemmingsgevaar.
De drums doen mij trillen van genot.
Mijn trommelvliezen gaan hier kapot.

Voel toch die metaal op je beuken,
met zijn primale oerkracht doordrenkt.
Het zijn geen tonen om op te neuken
maar muziek waarop je iemand ombrengt.

Misschien ben ik wel een beetje raar.
De meesten begrijpen het dan ook niet.
Nou luisteren jullie die kut top 40 maar.
Ik begrijp niet wat iemand daarin ziet.

Het functionerings gesprek

Goedendag, meneer de Vries, gaat u zitten.
Ik heb gezien dat u heel de dag loopt te golven.
Dat u dagelijks flink op uw minderen loopt te fitten.
Wij zullen zorgen dat u met goud geld wordt bedolven.

Een promotie, lijkt u dat ook niet wat?
U heeft ook zoveel gedaan en hard gewerkt.
Al hebben we daar niet echt veel van gemerkt.
Als de cijfers zeggen van wel, dan geloven we dat.

Hallo, meneer de Graaf blijf jij maar staan.
Wat een vreselijk lelijk pak heb jij daar aan.
We hebben gehoord dat je niet goed hebt gescoord.
Ga jij maar lekker zoeken naar een andere baan.

Een mens in de massa

(een 3 en 4 strofen combinatie)

Ken je dat?, soms heb ik dat wel eens
gehad dat ik ergens sta met veel mensen
om me heen, en toch voel ik mij alleen.

Dan klotst die ongemakkelijke stilte
van het niet herkennen van iets
door mijn lijf heen en weet ik niet
waar ik in deze zee een plek ga vinden.

Het is alsof ik niets versta in die massa.
Mensen die krioelen als mieren op een hoop.
Ik loop maar mee, op zoek naar iets.

Leuk zo'n festival, ik word opgelicht
bij alles wat ik eet en drink en ik stink.
Net zoals iedereen, die niet opvalt hier.
Ik drink wat bier om alles te vergeten.

Als je dan maar lang genoeg doorloopt
vind je iemand die wel jouw naam weet
zodat je weer een mens bent in de massa.

Een wijs man heeft ooit gezegd

(De waarheid wordt niet met volzinnen beschreven)

Lijden is de enige weg naar het ultieme geluk.
Pijn is de deur naar perceptie van het leven.
Zintuigen zijn de gereedschappen van de ziel
om het leven geur, kleur en vorm te geven.

Steek daarom je naaste in de fik.
Neuk je hormonen flink op hol.
Gun minderbedeelden helemaal niks.
Spuit je aders maar lekker vol.

Semi-filosofische vago's stellen zich van alles voor
maar de waarheid vernietigd alle theorieën.
Ook als ze fout zijn, zetten zij hun gelijk toch door.
Zij gaan voor geen van de wijzen door de knieën.

Schiet je buurman door zijn flikker.
Dump je afval in een sloot.
Demp je uitlaat met een kikker.
Rij andermans kinderen keihard dood.

De waarheid wordt niet met volzinnen beschreven.
Er wordt gescheten op het ideaal van de politiek.
Natuurlijk wil niemand in deze omstandigheden leven.
Maar in werkelijkheid is iedereen een beetje ziek.

Gesprek met een regendruppel

Een regendruppel heeft mij laatst verteld
hoe heerlijk hij het vond neer te dalen
op bergen, mensen en koeien in het veld.
Hoe het is om in een stortbui te verdwalen.

Natuurlijk is hij zich er van bewust
dat de mensheid hem niet zo mag.
Dat zij hem en zijn vrienden vervloeken
dag in en uit, al fietsend in het nat.

Ik vroeg hem: "Maar van waar dit sadisme?
Waarom tergen jullie ons toch zo hard,
hoe kan het zijn dat regen zo goed is
en tegelijkertijd zo slecht word ontvangen?"

Glimlachend sprankelde zijn watergezicht
die door zijn kompaan de zon werd opgelicht.
Hij sprak: "Er is iets dat mensen moeten weten,
't leven is niet gerieflijk, men moet bikkelen en zweten".

Het vergeten land

Eenzame stemmen schreeuwend in de nacht
die door hogerhand en stand worden verdacht.
Op zichzelf geworpen, verscholen in dorpen
waar niet meer op hulp wordt gewacht.

Eenzijdigheid bracht het leven hun hier.
Eenvoudigheid, gecombineerd met plezier.
Starend in de stilte van grote wouden
denkend aan de ouden die voor hen bestonden.

Het vergeten land, waar het volle hart ligt.
Zal niet meer passen in de nieuwe tijden.
Als het systeem niet voor hen wijkt,
Kunnen zij geen moderne middelen meer mijden.

Bewoners, bebouwers gelijken van dit lot.
Waarom komt er geen stem vanuit het hoge?
Waar is het vuur dat jullie ooit heeft bewogen.
Het wordt weer tijd voor de revolutie!

Inspiratie

Hallo inspiratie, ik sta hier te wachten.
Zeker ruim een uur al in deze lange rij.
Op van die lekkere inspirerende gedachten.
Kom schiet nou eens op en maak me blij.

Wat is dit hier voor plek waar ik sta?
Het is wit, leeg en wazig waar ik ook ga.
Zelfs voor deze plek is geen inspiratie genoeg.
Misschien moet ik toch maar naar de kroeg.

Die vent vlak achter mij begon net al
te gillen, van "eureka" en dat soort gebral.
Ik sta hier nog steeds droog van idee.
Het maakt me moe, maar ik ga niet weg.

Als je denkt dat ik het opgeef heb je pech
want ik weet dat het toch wel zal komen.
Ik krabbel maar weer wat op een stuk papier.
Kut!, nee nog steeds geen inspiratie hier.

Landverrader(s)!

Ik zou jou wel eens door willen zagen
of met een botte bijl jouw hoofd doorklieven.
Om te zien wat jou in godsnaam mankeert.
Zodat de mensheid hier misschien iets van leert.

Als ik mensen aan hun stoel vast zou mogen binden
zou ik met mensen zoals jij het eerste gaan beginnen.
Omdat jij, en jij en al die anderen zo achterlijk zijn.
Zo debiel zijn, die nonsens te geloven van die pruik.

Ja die blonde pruik!, een leugenachtige fuik van
onwaarheden, vaag zaad zaaiend van haat en paniek.
Vol drogretoriek, en jij, en jij en al die anderen,
al die sukkels zijn ervoor gevallen, collectief.

Met zijn allen zou ik jullie graag eens even
willen bekijken, hoe het zit met jullie genen.
Of dat het anders is bepaald. En het zal pijn doen.
Maar jullie hebben mij ook pijn gedaan. Landverraders!

Na een zware nacht

Mijn mond is droog als schuurpapier.
Mijn hoofd bonkt, ik drink nooit meer bier.
Slaapgebrek tergt mijn lijf en lendenen.
Het doet mij stug zoeken naar de redenen.

Oh kater, jij bent hard maar terecht.
Waarom oordeel jij zo streng over mij?
Ik heb geen zin meer in dit gevecht.
Laat mij nou voor een keer hoofdpijnvrij.

Geen zin in het leven geeft het leven geen zin.
Godzijdank zeg, dit duurt maar even.
Je moet dit beleven, denk ik dan toch.
Lekker overgeven, een gemis voor drank lozen.

Diezelfde avond al in dezelfde kroeg
blijkt de les toch weer niet gevat.
Dan moet met veel klokkend gezwoeg
weer al dat rot bier worden geat.

Real
TV

De jongen had het erg heet en zweet
druppels kleefden hem vast aan zijn stoel.
Reflexen bepaalden wat hij net deed.
Ontsnappen was nu zijn enige doel.

Zijn spiegel was zwak, schoot naar beneden.
Elke keer als hij weer door de bocht gleed
keek hij er nog eens in en lachte even breed
als hij zag wat die blauwen achter hem deden.

Een geronk van schroeven en moeren
verstikte bijna zijn vergaste motor.
Het geluid van die geile mediahoeren
met hun muskiet met blad en rotor.

Het rubber van zijn geteisterde banden.
De sirenes van de doortrapte vijand.
Waar zou dit helse avontuur toch stranden?
Een klap deed hem in het hier belanden.

Het razende scheurijzer stierf daar abrupt.
De blauwe macht was overal aanwezig.
Toen klonk een schot, een schreeuw.
Het einde was te gruwelijk voor live-tv.

Wijn en brood

Ik was hier niet op mijn plaats.

Zo tussen al die roomsen hier.

Ze drinken wijn en ik drink bier.

En die chips zijn niet echt vers.

Religie is niks voor mij denk ik dan

en ik pak de pan met geld maar aan.

De pastoor roept hard en luid
over het niet neuken van de bruid.

Maar ik ben toch nooit getrouwd

en waarom mag dat dan niet?
Is hij bang dat god het ziet?

Maar die is toch allang dood

en verandert in wijn en brood.

Althans dat zegt die dominee

Of priester, van deze moskee
Of tempel, of synagoog, of zoiets.
Het interesseert me eigenlijk niets.

Nawoord

Door de assistente van dr. Roggeveen

13-07 2009:
Ik heb wel te doen met de patiënt. Vandaag weer zijn muren
schoongemaakt. De dokter zegt dat hij beter wordt door zijn
schrijfsels. Ik waag het toch te betwijfelen, en wil hem graag op
de lijst zetten voor elektroshock therapie. Toen hij binnenkwam
praatte hij nog niet met bomen en regendruppels. Vaak mompelt
hij dat wolken naar hem kijken met ogen en dat ik op een hinde
lijk. Zijn waanbeelden voedden de gedichten en zullen verdwijnen,
zegt de dokter. Maar worden ze niet eerder aangewakkerd?.

15-07 2009
Gisteren moest ik hem weer ontkleden. Ik moet toegeven dat dit
mij enig genoegen deed. Hij knipoogde naar me en zei me mee te
willen nemen naar verre oorden. Dat ik zijn inspiratie was. Ik zag
iets opbollen in zijn broek. Moet ik misschien verstandig zijn?. De
dokter zegt dat dit bij zijn proces hoort, dat zijn volgende bundel
minder verwarrend gaat worden. Ik weet het niet. Het enige dat ik
weet is dat hij kleurenblind is. Meneer Besseling is ongetwijfeld
ergens blijven hangen en herhaald zichzelf zonder het door te
hebben. Zowel in woord als geschrift overigens.

Nawoord

Door de assistente van dr. Roggeveen

22-07 2009

Eindelijk, de elektroshock therapie, de dokter was het er
aanvankelijk niet mee eens. Maar hij kon niet langer volhouden
dat er schot in de zaak zat. Zachte heelmeesters maken stinkende
wonden. Meneer Besseling keek op zich gelukkig en meldde dat
"een beetje energie" geen kwaad kan. Ik hou van hem.

Jeroen Besseling (Heemskerk 1981) is een in de IJmond beroemde schrijver. De IJmond ligt in het westen van Nederland, en omvat gemeenten van Uitgeest tot en met Velsen. Over het algemeen interesseert het niemand wat daar gebeurt, daarom richt de schrijver zich voornamelijk op de Russische markt omdat deze natie de dichtkunst nog verstaat en waardeert in een mate die egostrelend genoeg is voor de schrijver van dit werk. Vandaar dat verdere informatie over deze bundel in het Russisch vertaald is:

Еявляется известным "Qualia en het Spectrum" (2004-2010) поэт, писатель. Сочинение в его крови. С тех пор он был на его 19 для газеты IJmond ий и истории. Во время этого исследования, "Wijker Dichtersgilde" в основном занимаются в письменной форме (короткая) сценария для фильма, колонн (например, для. Maandblad Ouch!), Отзывы о фильмах и свои стихи. Также последовало в году спектакль "Passie van Boreel (2007)", которую он также.

GROEN

RIJS

GROEN

GROEN

WIT

ROOD

WIT

x

WIT

VART

ZWART

GRIP

GROEN

GROEN

ROOD

W

WI

ZWART

WIT

ZWART

ZWAR